COCKTAILS

LAROUSSE

21 RUE DU MONTPARNASSE 75283 PARIS CEDEX 06

SOMMAIRE

Des fruits rouges pour transformer une sangria classique en sangria originale !

Sangria aux fruits rouges

POUR 2,5 L DE SANGRIA
PRÉPARATION : 15 MIN
MARINADE : 1 NUIT

> 750 g de fruits rouges (mûres, framboises, cassis et groseilles)
> 1 gousse de vanille
> 400 g de sucre en poudre
> le jus de 1 citron
> 2 bâtons de cannelle
> 1 cuill. à café de cannelle en poudre
> 2 l de vin rouge tannique (madiran, par exemple)
> 2 cuill. à café de noix de muscade en poudre (facultatif)
> 5 cuill. à soupe d'eau-de-vie
> 50 cl de limonade

1. La veille, passez rapidement les fruits rouges sous l'eau froide, puis égouttez-les. Fendez la gousse de vanille en deux. Dans un saladier, réunissez les fruits rouges, le sucre, la gousse de vanille, le jus de citron, les bâtons de cannelle, la cannelle en poudre et le vin rouge, puis laissez mariner au frais pendant une nuit.

2. Le jour même, rectifiez l'assaisonnement, selon votre goût, et ajoutez éventuellement la noix de muscade.

3. Versez l'eau-de-vie et la limonade au moment de servir.

L'hypocras était une sorte de potion magique, utilisée au Moyen Âge comme élixir pour favoriser la digestion et redonner du tonus.

Vin aux épices

POUR 3 L DE VIN AUX ÉPICES

PRÉPARATION : 20 MIN

REPOS : 1 NUIT

> 25 g de cannelle en poudre
> 10 clous de girofle
> 5 morceaux de macis ou 2 cuill. à soupe de noix de muscade
> 10 graines de poivre noir
> 10 graines de cardamome
> 1 morceau de gingembre de 3 cm
> 3 l de vin blanc
> 3 cuill. à soupe d'eau de rose
> 200 g de sucre roux
> 100 g de miel toutes fleurs ou d'acacia
> quelques bâtons de cannelle

1. La veille, réunissez les épices dans un mortier et broyez-les à l'aide d'un pilon. Râpez le gingembre, puis mettez-le dans le mortier et mélangez bien le tout.

2. Disposez les épices dans un carré de mousseline. Saisissez-en les quatre coins et attachez-les ensemble. Versez le vin, l'eau de rose et les épices dans un bocal muni d'un couvercle. Ajoutez le sucre et le miel, fermez le bocal, puis laissez reposer une nuit au frais.

3. Le jour même, retirez les épices, puis filtrez le vin au-dessus d'un pichet pour éliminer les résidus. Servez très frais dans des verres à pied décorés d'un bâton de cannelle.

Le Bellini fut créé au Harry's Bar de Venise ; il doit son nom au peintre vénitien Giovanni Bellini. Pour être plus fidèle encore à la recette originale, préparez-le avec du prosecco, qui est l'équivalent italien de notre champagne.

Bellini

POUR 1 VERRE
PRÉPARATION : 10 MIN
REPOS : 2 H

> 1/4 de pêche blanche
> 10 cl de sirop de canne
> 25 cl de champagne

1. Mettez un verre martini à rafraîchir dans le réfrigérateur. Pelez la pêche, puis mixez sa chair à l'aide d'un robot jusqu'à obtention d'une purée liquide. Incorporez le sirop de canne et laissez reposer 2 heures au réfrigérateur.

2. Sortez le verre du réfrigérateur, versez le nectar de pêche, recouvrez du champagne frais, puis remuez délicatement et servez.

Vous pouvez ajouter à cette version du Mimosa une goutte de liqueur d'orange ou de mandarine.
Hors saison, remplacez les clémentines par du jus de clémentine pressé du rayon frais.

Mimosa clémentine

POUR 1 VERRE
PRÉPARATION : 5 MIN

> 2 clémentines
> 4 cuill. à soupe de champagne

1. Épluchez les clémentines, coupez-les en deux, puis pressez-les. Versez le jus obtenu dans une flûte à champagne.

2. Versez le champagne très frais et servez aussitôt.

Incontournable aux États-Unis,
le « cosmo » se sert dans un verre martini. Surfant sur la vague des breuvages tendance, le Cosmopolitan se fait l'allié des soirées les plus branchées.

Cosmopolitan

POUR 1 VERRE

PRÉPARATION : 10 MIN

- > 2 1/2 cuill. à soupe de vodka
- > 1 1/2 cuill. à soupe de Cointreau®
- > 1 1/2 cuill. à soupe de jus de cranberry
- > le jus et le zeste de 1/2 citron vert
- > 2 cubes de glace
- > quelques cranberries séchées

1. Dans un shaker, réunissez tous les ingrédients. Ajoutez les cubes de glace et secouez énergiquement, puis versez dans un verre martini.

2. Coupez le zeste de citron vert en fines lamelles. Enfilez celles-ci sur une pique en bois avec les cranberries séchées, puis déposez la pique sur le verre et servez.

Découvrez l'alliance originale de la fraise et de la vodka !

Caïpiroska à la fraise

POUR 1 VERRE

PRÉPARATION : 5 MIN

> 4 fraises
> 1 cuill. à soupe de sucre en poudre
> 10 cl de vodka
> le jus de 1/2 citron vert (facultatif)

1. Lavez, équeutez et coupez les fraises en morceaux. Disposez-les dans un verre bas, ajoutez le sucre, puis laissez macérer 2 minutes.

2. Mélangez soigneusement, puis versez la vodka. Ajoutez éventuellement le jus de citron vert. Servez avec une petite cuillère.

La version sans alcool du Bloody Mary s'appelle le Virgin Mary. N'hésitez pas à ajouter un peu de wasabi pour le pimenter !

Bloody Mary

POUR 1 VERRE

PRÉPARATION : 5 MIN

> 4 cuill. à soupe de vodka
> 15 cl de jus de tomate
> 1 cuill. à soupe de jus de citron
> 1 filet de Worcestershire sauce
> sel de céleri
> poivre du moulin
> 2 cubes de glace

1. Dans un shaker, réunissez la vodka, le jus de tomate et le jus de citron. Versez la Worcestershire sauce, puis assaisonnez, selon votre goût, de sel de céleri et d'un tour de moulin à poivre.

2. Ajoutez les cubes de glace, secouez énergiquement, puis servez aussitôt dans un verre haut.

C'est sans doute aux Antilles que l'on boit les meilleures Piña Coladas, préparées avec du jus d'ananas frais.

Piña Colada

POUR 1 VERRE

PRÉPARATION : 5 MIN

> 2 1/2 cuill. à soupe de rhum blanc
> 1 1/2 cuill. à soupe de rhum ambré
> 2 1/2 cuill. à soupe de lait de coco
> 15 cl de jus d'ananas

Pour le givrage du verre

> le jus de 1 citron
> 15 g de noix de coco râpée

1. Givrez le verre. Trempez le bord du verre dans le jus de citron, puis roulez-le dans la noix de coco râpée.

2. Dans le bol d'un robot, réunissez tous les ingrédients, puis mixez à pleine vitesse jusqu'à obtention d'un mélange mousseux. Versez dans le verre et servez.

Un punch, une mini-brochette de fruits exotiques, un peu de soleil : les vacances ne sont pas loin...

Punch exotique

POUR 1 VERRE

PRÉPARATION : 10 MIN

> 3 cuill. à soupe de rhum blanc
> 3 cuill. à soupe de sirop de canne
> 1 pincée de cannelle
> 3 cuill. à soupe de jus de goyave ou de jus de fruits de la Passion

Pour les mini-brochettes

> 1 mangue
> 1 carambole

1. Dans des verres assez larges, versez le rhum, le sirop de canne, la cannelle, puis complétez avec le jus de fruit de votre choix et réservez au frais.

2. Préparez les mini-brochettes de fruits. Coupez la mangue en deux, retirez le noyau et la peau, puis détaillez la chair en dés. Lavez la carambole et coupez-la en tranches. Enfilez 2 dés de mangue et 1 tranche de carambole sur une pique en bois, en les alternant. Déposez la mini-brochette sur le verre et servez.

Cette boisson a été rendue célèbre par l'écrivain Ernest Hemingway qui en était un grand consommateur au bar de la Bodeguita del Medio, à La Havane.

Mojito

POUR 1 VERRE

PRÉPARATION : 15 MIN

> 5 feuilles de menthe
> 1/2 citron vert
> 2 cuill. à café de sucre en poudre + pour servir
> 3 cuill. à soupe de rhum cubain
> 5 cuill. à soupe d'eau gazeuse
> 2 cubes de glace

1. Lavez les feuilles de menthe et disposez-les au fond du verre.

2. Coupez le demi-citron en deux quartiers, puis déposez ceux-ci dans le verre ainsi que le sucre. Pilez le tout.

3. Versez le rhum et l'eau gazeuse. Pilez la glace dans un mortier et ajoutez-la au mojito. Saupoudrez de sucre, si nécessaire.

Ce rhum doit être préparé longtemps à l'avance pour que tous les arômes se développent. Certes, cela demande un peu de patience, mais vous ne le regretterez pas ; plus vous laisserez macérer les ingrédients dans le rhum, meilleur il sera.

Rhum arrangé à ma façon

POUR 1,5 L DE RHUM

PRÉPARATION : 5 MIN

> 1 gousse de vanille
> 1 bouteille de rhum agricole blanc
> 3 fèves tonka (dans les épiceries exotiques)
> 5 écorces d'orange confite
> 250 g de sucre roux

1. Fendez la gousse de vanille en deux dans la longueur et récupérez les graines à l'aide d'une lame de couteau. Introduisez la gousse et les graines de vanille dans la bouteille de rhum, ajoutez les fèves tonka, les écorces d'orange et le sucre.

2. Agitez bien le tout et laissez reposer le rhum plusieurs semaines, voire plusieurs mois.

3. Servez dans des verres bas.

Traditionnellement préparée avec du citron vert, cette Caipirinha révèle un subtil mélange de douceur et d'acidité, grâce au kiwi.

Caïpirinha au kiwi

POUR 1 VERRE

PRÉPARATION : 5 MIN

> 1 kiwi bien mûr
> 1 cuill. à soupe de cassonade
> 3 cuill. à soupe de cachaça (rhum brésilien)
> 2 cubes de glace

1. Épluchez le kiwi, coupez-le en rondelles et placez-le dans le fond d'un verre bas et large. Saupoudrez de cassonade, puis, à l'aide d'un pilon, écrasez le kiwi grossièrement.

2. Versez la cachaça, ajoutez les cubes de glace et servez.

Ce cocktail ressemble à un verre de lait, mais ne vous y trompez pas : derrière l'onctuosité du Batida Coco se cache la cachaça...

Batida Coco

POUR 1 VERRE

PRÉPARATION : 5 MIN

> 12 cl de lait de coco

> 1 cuill. à soupe de lait concentré sucré

> 4 1/2 cuill. à soupe de cachaça (rhum brésilien)

> le zeste de 1 citron vert

> 2 cubes de glace

Pour le givrage du verre

> le jus de 1 citron vert

> 2 cuill. à soupe de noix de coco râpée

1. Givrez le verre. Trempez le bord du verre dans le jus de citron vert, puis roulez-le dans la noix de coco râpée.

2. Dans un shaker, réunissez tous les ingrédients, ajoutez les cubes de glace, puis secouez énergiquement. Servez aussitôt.

Ce cocktail est celui qu'affectionne particulièrement James Bond, le célèbre agent secret au service de Sa Majesté ; mais il le fait préparer au shaker et non à la cuillère…

Vodka Martini

POUR 1 VERRE

PRÉPARATION : 5 MIN

- > 1 1/2 cuill. à soupe de vodka
- > 4 cuill. à soupe de Martini® blanc
- > 1 olive verte

1. Dans un verre à mélange, réunissez la vodka et le Martini® blanc.
2. Mélangez à la cuillère, ajoutez une olive verte et servez dans un verre martini.

Le curaçao bleu est une liqueur d'orange colorée au bleu de méthylène qui apporte à vos cocktails une petite touche d'originalité festive qui impressionnera vos convives !

Cocktail au curaçao

POUR 1 VERRE

PRÉPARATION : 5 MIN

> 2 1/2 cuill. à soupe de Martini®
> 2 cuill. à café de curaçao bleu
> 1 1/2 cuill. à soupe de jus d'ananas
> 3 cuill. à soupe de lait de coco
> 3 cubes de glace
> 1 trait de grenadine

1. Dans un shaker, réunissez le Martini®, le curaçao bleu, le jus d'ananas et le lait de coco. Ajoutez les cubes de glace et secouez énergiquement.

2. Versez la préparation dans un verre martini, puis ajoutez délicatement la grenadine, de façon à ce qu'elle coule au fond du verre. Servez.

Le mariage du litchi et de la rose a déjà fait ses preuves en pâtisserie, alors pourquoi ne pas l'essayer dans un cocktail ? Vous pouvez remplacer le gin par de la vodka.

Gin au litchi et à la rose

POUR 1 VERRE

PRÉPARATION : 5 MIN

> 12 cl de gin
> 20 cl de jus de litchi
> 1 trait de sirop de rose
> quelques pétales de rose ou des roses séchées pour décorer

Pour le givrage du verre

> le jus de 1 citron
> 2 cuill. à soupe de sucre en poudre

1. Givrez le verre. Trempez le bord du verre dans le jus de citron, puis roulez-le dans le sucre en poudre.

2. Versez le gin au fond du verre, puis ajoutez le jus de litchi et le sirop de rose. Décorez avec des pétales de rose ou des roses séchées et servez.

Voici un cocktail très sucré, à déguster bien frais. Vous pouvez ajouter quelques graines de vanille dans le shaker ou encore remplacer l'eau gazeuse par de la limonade.

Gin à la cerise

POUR 1 VERRE
PRÉPARATION : 5 MIN

> 3 cuill. à soupe de gin
> 1 cuill. à soupe de liqueur de cerise
> 2 cubes de glace
> 15 cl d'eau gazeuse
> 1 cerise confite pour décorer

1. Dans un shaker, réunissez le gin, la liqueur de cerise et les cubes de glace, secouez énergiquement, puis versez dans le verre.

2. Complétez avec de l'eau gazeuse, selon votre goût. Enfilez la cerise confite sur une pique en bois, posez-la sur le verre, puis servez.

Ce cocktail était la boisson préférée des dames de la bonne société dans les années 1930.

Pink Lady

POUR 1 VERRE

PRÉPARATION : 5 MIN

> 2 cubes de glace
> 3 cuill. à soupe de gin
> 2 cuill. à soupe de jus de citron
> 1 cuill. à café de sirop de grenadine
> 1 blanc d'œuf
> 1 cuill. à café de crème fraîche liquide légère
> 1 cerise confite pour décorer

1. Dans un shaker, réunissez tous les ingrédients, puis secouez énergiquement.

2. Versez dans un verre à cocktail, décorez d'une cerise et servez.

À la fois amer et sucré, le Margarita est un cocktail à base de tequila. Son givrage au sel fin est indissociable de sa dégustation.

Margarita

POUR 1 VERRE

PRÉPARATION : 10 MIN

> 4 cuill. à soupe de tequila
> 2 cuill. à soupe de Cointreau®
> le jus de 1 citron vert
> 2 cubes de glace
> 1 rondelle de citron vert

Pour le givrage du verre

> le jus de 1 citron vert
> 2 cuill. à soupe de sel fin

1. Givrez le verre. Trempez le bord du verre dans le jus de citron, puis roulez-le dans le sel.

2. Dans un shaker, réunissez la tequila, le Cointreau® et le jus de citron vert. Ajoutez les cubes de glace, secouez énergiquement, puis versez dans le verre. Décorez d'une rondelle de citron vert et servez.

Contrairement aux apparences, ce n'est pas un cocktail à base de légumes mais bel et bien un cocktail de fruits !

Tequila à la mangue et au gingembre

POUR 1 VERRE
PRÉPARATION : 15 MIN

> 1/4 de mangue
> 1 morceau de gingembre de 2 cm
> 1 petit bouquet de menthe
> 10 cl de tequila
> 3 cubes de glace

1. Coupez la mangue en deux, dénoyautez-la, puis pelez-la. Coupez la chair en morceaux. Pelez et râpez le gingembre. Lavez les feuilles de menthe et réservez-en quelques-unes pour le décor. Dans le bol d'un robot, réunissez la mangue, le gingembre, la menthe et mixez le tout.

2. Transvasez la préparation dans un shaker, ajoutez la tequila et les cubes de glace, puis secouez énergiquement et servez.

Le Manhattan évoque l'âge d'or de l'histoire des cocktails. Il est associé à la haute société new-yorkaise qui appréciait particulièrement cette préparation sophistiquée.

Manhattan

POUR 1 VERRE
PRÉPARATION : 5 MIN

> 2 cubes de glace
> 2 1/2 cuill. à soupe de whisky (bourbon)
> 1 1/2 cuill. à soupe de vermouth rouge (Martini®, Cinzano®)
> 1 cuill. à café d'Angustura

1. Dans un verre à mélange, réunissez tous les ingrédients, puis remuez vigoureusement avec une cuillère à mélange, en effectuant un mouvement de haut en bas

2. Servez dans un verre à whisky.

À défaut de trouver en France la crème qu'utilisent les Irlandais, vous pouvez utiliser de la crème Chantilly en bombe. Dans tous les cas, buvez en aspirant le café à travers la crème : mélanger les deux serait un sacrilège !

Irish Coffee

POUR 1 VERRE

PRÉPARATION : 10 MIN

> 2 cuill. à soupe de crème fraîche liquide entière, de préférence non stérilisée

> 10 cl de café chaud

> 10 cl de whisky irlandais

> 1 cuill. à café de sucre en poudre

1. Dans un bol, fouettez la crème liquide en une chantilly mousseuse, mais pas trop ferme.

2. Passez un mug transparent à l'eau bouillante pour le réchauffer. Versez-y le café. Ajoutez le whisky et le sucre, puis mélangez soigneusement. Déposez délicatement la crème à la surface en la faisant couler le long du dos d'une cuillère.

Amusez-vous à utiliser des moules à glaçons que vous remplirez avec de l'eau additionnée de sirop. Pensez aussi à détourner des petits moules à chocolat (comme ici en forme de cuillère) et des moules à petits fours.

Citronnade au gingembre

POUR 1 L DE CITRONNADE

PRÉPARATION : 10 MIN

INFUSION : 10 MIN

> 10 citrons jaunes et/ou verts, non traités de préférence
> 1 morceau de gingembre de 4 cm
> 1 l d'eau de source
> 100 g de sucre en poudre

1. Lavez et pressez les citrons jusqu'à obtenir 20 cl de jus. Coupez les citrons restants en quartiers.

2. Au-dessus d'un saladier, râpez le gingembre. Portez l'eau de source à frémissement dans une grande casserole, versez-la sur le gingembre et laissez infuser, puis refroidir.

3. Au-dessus d'un pichet, filtrez l'infusion. Ajoutez-y le sucre, le jus et les quartiers de citron. Servez très frais avec des glaçons.

Vous pourrez déguster ce cocktail plein de fraîcheur et de délicatesse sans modération ! N'hésitez pas à le servir en guise de dessert.

Cocktail sans alcool

POUR 1 VERRE

PRÉPARATION : 10 MIN

> 3 cuill. à soupe de crème fraîche liquide

> 1 cuill. à soupe de sucre en poudre

> 10 cl de jus d'orange

> 2 cuill. à soupe de jus de citron

> 4 cuill. à soupe de jus d'ananas

> 2 cubes de glace

> 1 trait de grenadine

> 1 framboise pour décorer

1. Fouettez la crème liquide à l'aide d'un batteur électrique. Lorsque la crème commence à prendre, ajoutez le sucre en poudre et continuez à battre jusqu'à obtention d'une chantilly bien ferme.

2. Dans un shaker, réunissez le jus d'orange, le jus de citron et le jus d'ananas. Ajoutez les cubes de glace et secouez énergiquement, puis versez le tout dans un verre haut. Déposez un peu de crème Chantilly sur le dessus, puis arrosez de grenadine. Enfilez une framboise sur une pique en bois et déposez-la sur le verre, puis servez.

Le lassi est une boisson traditionnelle indienne à base de yaourt. Il peut être nature, sucré, salé, épicé, ou encore à la mangue, au citron ou à la rose. Dégustez-le bien froid, en accompagnement ou en guise de dessert.

Lassi à la rose

POUR 1 VERRE

PRÉPARATION : 5 MIN

> 1/2 yaourt
> 1/2 verre de lait
> 1 pincée de cardamome en poudre
> 2 cuill. à café de sirop de rose + selon le goût (dans les épiceries fines)
> 2 cubes de glace
> colorant rose (facultatif)

1. Dans le bol d'un robot, réunissez tous les ingrédients et mixez à pleine vitesse jusqu'à obtention d'une préparation mousseuse.

2. Ajoutez du sirop de rose si vous préférez un goût plus prononcé et, éventuellement, un peu de colorant rose, puis servez dans un verre haut.

Un concentré d'énergie, à déguster à tout moment de la journée, sans modération.

Smoothie ultravitaminé

POUR 1 VERRE
PRÉPARATION : 15 MIN

> 1 carotte
> 1/4 d'ananas
> 1 grenade
> le jus de 1/2 pamplemousse
> 2 cubes de glace
> 1/2 cuill. à café de sirop d'agave (dans les rayons ou les épiceries bio)

1. Pelez la carotte, puis passez-la à la centrifugeuse. Ôtez l'écorce de l'ananas ainsi que le cœur, puis détaillez sa chair en dés. Égrainez la grenade et réservez les graines.

2. Dans le bol d'un robot, réunissez les jus de carotte et de pamplemousse, les dés d'ananas et les cubes de glace, puis mixez le tout jusqu'à obtention d'une préparation lisse. Ajoutez les graines de grenade et le sirop d'agave, puis servez.

Le thé vert à la menthe est une spécialité très désaltérante du Maghreb. Il est aussi appelé « whisky berbère », notamment au Maroc. Réalisez-le ici dans sa version glacée avec quelques citrons verts, afin de lui donner une note acidulée.

Thé vert glacé à la menthe et au citron vert

POUR 1 L DE THÉ
PRÉPARATION : 10 MIN
INFUSION : 30 MIN
RÉFRIGÉRATION : 2 H

> 2 sachets de thé vert
> 1 bouquet de menthe fraîche
> 2 citrons verts
> 5 cuill. à soupe de cassonade
> 10 cubes de glace

1. Dans une petite casserole, portez à ébullition 1 l d'eau, puis faites infuser rapidement le thé vert. Ajoutez la moitié de la menthe, puis laissez infuser le tout pendant 30 minutes. Retirez les sachets et placez le thé au réfrigérateur pendant 2 heures.

2. Coupez les citrons verts en petits quartiers. Sortez le thé froid du réfrigérateur, ajoutez-y la cassonade, les morceaux de citron, le reste de la menthe et les cubes de glace, puis servez.

Servez cette infusion avec des glaçons dans lesquels vous aurez emprisonné des feuilles de verveine ou de menthe.

Infusion glacée à la verveine et au citron

POUR 1 L D'INFUSION

PRÉPARATION : 10 MIN

INFUSION : 10 MIN

> 1 poignée de verveine fraîche
> 1 l d'eau de source
> 3 citrons
> 50 g de sucre en poudre

1. Disposez la verveine dans une carafe. Dans une casserole, portez l'eau de source à ébullition, puis versez-la sur la verveine. Laissez infuser 10 minutes, puis filtrez.

2. Pressez les citrons et versez le jus obtenu dans l'infusion. Ajoutez le sucre, mélangez soigneusement, puis réservez au frais jusqu'au moment de servir.

Direction éditoriale : Véronique de Finance-Cordonnier
Édition : Marion Pipart
Direction artistique : Emmanuel Chaspoul
Réalisation : Belle Page, Boulogne
Couverture : Véronique Laporte
Fabrication : Annie Botrel

Crédits photographiques : p. 10, 11, 16, 17, 46-49, 58, 59 : Fabrice Besse © coll. Larousse (Stylisme : Noëmie André) ; p. 4, 5, 21-23, 31 : Caroline Faccioli © coll. Larousse (Stylisme : Sabine Paris) ; p. 12, 13, 19, 26, 27, 33, 37, 40, 41, 51-53, 56, 57 : Marie-José Jarry © coll. Larousse (Stylisme : Bérengère Abraham) ; p. 7-9, 39, 45, 55 : Massimo Pessina © coll. Larousse (Stylisme : Rosalba de Magistris) ; p. 15, 25, 28, 29, 34, 35, 43, : Amélie Roche © coll. Larousse (Stylisme : Manuella Chantepie).

L'éditeur remercie pour le prêt de linge et d'objets : ASA (www.asa-selection.com), Coming B (wwwcomingb.fr), Fleux, 39 et 52 rue sainte Croix de la Bretonnerie 75004 Paris (01 42 78 27 20), Léonardo (www.leonardo.de), Montgolfier (wwwmontgolfier.fr), Linge au Cœur (www.lingeaucoeur.com), Ressources (www.ressources-peinture.com), Emery (www.emeryetcie.com), Villa Paris (01 42 74 07 05), La Cabane de l'Ourse (www.lacabanedelourse.com), La Forge Subtile, 11 rue de l'odéon 75006 Paris (01 40 51 09 30), Mis en Demeure (www.misendemeure.com), La Maison des Rêves (www.maisondesreves.com), La Compagnie Française d'Orient et de Chine (www.cfoc.fr), Jeannine Cros (01 45 48 00 67), Clotilde Buschini (01 45 44 30 11), Caravane (www.caravane.fr), Wooden (www.woodenlist.com) et Mme Mylène Demongeot pour le prêt de la brocante (www.mylene-demongeot.fr).
Et l'éditeur remercie tout particulièrement Véronique Jean pour sa participation efficace.

ISBN : 301-0-00-000284-0

Photogravure Turquoise, Émerainville
Imprimé en Chine par Leo Paper Products
Dépôt légal : septembre 2010
304 612/01-11011876-avril 2010